Y Llafn Golau

VERNON JONES

Argraffiad cyntaf—2000

ISBN 1 89502 873 X

Dymuna'r cyhoeddwyr gydnabod cymorth
Adrannau Cyngor Llyfrau Cymru.

Argraffwyd gan
Wasg Gomer, Llandysul, Ceredigion SA44 4QL

I gofio am fy mab
Trystan Maelgwyn Jones
(1977-1992)
a'm priod
Gwyneth Meirwen Jones
(1943-1994)

DIOLCH

Carwn ddiolch i staff hynaws Cyngor Llyfrau Cymru yn Aberystwyth am eu cymorth, ac i gyfeillion caredig Gwasg Gomer am eu cyfarwyddyd a graen arferol eu gwaith. Diolch hefyd i Gwmni Arioma, Borth, am gymorth gyda'r teipio gwreiddiol ac i Pam Hughes LRPS am dynnu'r lluniau.

CYNNWYS

DADMER

Mor anodd rhwng gwargloddiau
eira galar y galon
yw dygymod â dau gwmwl.
Bu'n aeaf araf, oer,
hir yw galar i gilio.

Dau angau wedi hongian
o ymylon y cymylau
yn drwm â chledrau o iâ
i afael yn ein gofid.

O gam i gam dan y ddau gwmwl
ymlaen yr awn â gwynt milain, oer
y nosau hir yn raseru'r
cof ar obennydd cwsg.

Gwae'r awr pan fo dagrau'r rhew
yn tagu, gwasgu'r gair
o enaid y ffynnon.

Llwydrew o dristwch yn drwch ar draeth
cyfandir hiraeth.
O, na fai'n Glamai i ddatglymu
cymhleth blethiad
estyniad maith y stania.

Un pasg o rew, a'r pysg a'r wyau
o echdoe'r cof
    i uchder cân
yn mynnu gyrru â min o gariad
ddydd y llawenydd i dorri'r llinyn.

Y llinyn fu'n dal cymylau galar
rhag i haul rwygo â'i olau
obeithion i'r fron friw.

A phan rannwyd
y bara a'r gwin un bore Gwener,
gwelais y llafn golau
a'i rym yn hollti'r gramen
o rew maith fel gwydr mâl.

Ar y Gwener llifai'r gwanwyn
yn wyrth ir dos greithiau hiraeth,
yn falm i archoll y golled,
yn wyrdd ei wawr,
 yn rhyddhad.

Afradus friw a waedodd
unwaith, a'r graith—hi a ddwg yr haul
a'i rinwedd o'r anwel
i arwain y galarus.

Wedi hirlwm cwyd eirlys
ei phen eglwysig mewn ffydd,
hi a dyf o'r iâ,
 af i'w dyfrhau.

BALED Y PIOD A'R BRAIN

"If you ever played for Borth against Bow Street without committing a single foul, then, sir, you are a gentleman in the true sense of the word."
—Y Barnwr Arthian Davies.

Mae ffermdy Ty'nllechwedd rhwng Bwstryd a'r Borth ar y banc
Ac i Rydypennau i'r ysgol âi Nedw yn llanc,
Ond gan mai i'r Babell gerllaw yr âi ar y Sul
Â Borth yr ymunodd, a llyncodd gwŷr Bwstryd y mul,
Cans nid oedd mo'i debyg yn driblo ar gaeau trwm gwlyb,
Yn sglefrio fel Billy Meredith drwy'r corsdir ar wib—
Byddai popeth yn iawn, ond bod gêm fawr y tymor yn prysur nesáu
Ar ddydd Gwŷl San Steffan i lawr ym Mrynowen am chwarter i ddau.

Am frwydrau cynhyrfus yr oesau 'doedd debyg i'r rhain
A hen chwech i'w setlo o hyd rhwng y Piod a'r Brain.
Y ffordd fawr yn gul gan gefnogwyr ar feic ac ar droed
A rhai yn manteisio ar bwt bach o bastwn o'r coed—
Dau gyfaill oedd ficer y Borth a gweinidog y Garn
Ond heddiw fe gadwai y ddau ar wahân rhag y Farn—
Popeth yn iawn, ond 'roedd Nedw yn chwarae i'r Borth ar y dde
A neb llai na Ossie Bach Hughes oedd y reff lan o'r dre.

Dyna bib Ossie Hughes! A'r gêm yn ysbryd yr Ŵyl
Yn symud o gyffro i gyffro a'r dyrfa mewn hwyl.
Daeth rasbad o groesiad o'r asgell fel pryfyn llwyd
Ond ni fedrai Magor gonecto, a llithrodd i'r rhwyd,
Ac wrth ei ryddhau fe sgoriodd y Brain ac y brêc
Er bod dau yn camsefyll—Huw Boston a Dai Kittiwake.
Aeth pethe o chwith gyda Nedw yn chwarae i'r Borth ar y dde
Ac Ossie Bach Hughes wedi colli ei sbecs ar y ffordd lan o'r dre.

Er bod Wil Myshyrŵms fel craig yn amddiffyn y Brain
Dwy funud cyn hanner fe'i twyllwyd gan flaenwr bach main,
Aeth John Munson Roberts heibio â'r bêl wrth ei draed
Gyda gwthiad reit slei yr un pryd, a chynhyrfodd y gwaed!
Synhwyrai Fred Pugh yr ergyd a throes ei ben ôl,
'Self defence!' mynte fe, ond tapiodd J.M. hi i'r gôl.

Un—Un ar yr egwyl, ond 'roedd Nedw yn dal gyda Borth ar y dde
Ac Ossie Bach Hughes yn proffwydo i'w leinsmyn am uffern o le!

I ffwrdd â'r ail hanner yn storm ar chwibaniad y bib
A'r Piod a'r Brain yn amlwg am dorri eu crib,
A gwŷr y coleri crwn yn fyddar ers tro
Gyda 'damits' a'r 'ufferns' yn 'b's ac yn 'ff's dros y fro!
Mae'n rhaid bod yr haul yn llygaid Jac-Bach-Bob-Man,
Neu Satan yn wincio ar grosbar â'i gefn at y llan
Cans ar ei ben-glin y disgynnodd y bêl a thasgu o Jac
At neb llai na Nedw Ty'nllechwedd, a'r marcio am unwaith yn llac.

Does neb byth yn siwr beth digwyddodd pan lamodd fel hydd
(Ond nid yw Rhagluniaeth bob amser yn ddoeth ar y dydd)
A pham, o bob diwrnod, y cododd y twrchyn bach du
Ei gnwcyn o bridd yn y penalti bocs mor hy,
Ond ni welodd Nedw y cnwcyn na'r droed mewn o'r cefn
A thwmblodd yn hedlong, efe a Rhys Nymbar Sefn.
Dyna'r drwg o gael Nedw Ty'nllechwedd i chwarae i'r Brain ar y dde
A reff sydd â chefnder i'w wraig yn y Borth wedi dianc o'r dre.

Wedi egwyl o ddadlau a chega fel gwyddau ar lyn
Fe bwyntiodd y reff yn grynedig at y smotyn gwyn.
Yng nghanol y dryswch coesgamodd Moc Fay am y bêl,
Aeth heibio Elystan fel bollt drwy y rhwyd i'r cae cêl.
Bu bloedd annaearol, rhyw gynfyd o floedd dros y cae
A'r ddwyblaid yng ngyddfau ei gilydd pob cam at y bae,
Ac er i bois Bwstryd goleru y reff, fe safodd y sgôr
A diolch i'r drefn, 'roedd y teid mas rhy bell i'w luchio i'r môr!

Chwi gewri Cors Fochno a gwŷr anrhydeddus Pen-garn
Rhowch ddiolch i'r nefoedd nad ydych dan gysgod y Farn!
Mae'r crysau a rwygwyd yn lân ac yn gyfan ers tro
A chreithiau y clwyfau a'r clais wedi cau yn y co'.
Drwy gyfraith yr Arglwydd, i gapten y Brain daeth edifarhad
A cheidwad y Piod yn arglwydd yng nghyfraith y wlad,
Deil Nedw ar waelod y lôn i gloffi rhwng aswy a de
Ond mae Ossie Bach Hughes yn rhy bell i ddod i fyny o'r dre.

ADAR

COCH Y BERLLAN

A'm hafallen fel hwylbren haf—un hwyr
Daeth y peirat pertaf,
Drylliodd ddec fy llong decaf,
Un cno o'i chargo ni chaf.

DRINGWR BACH

O daw haul â fel deilen—yr hydref
Ar lwydrew y gangen,
Ei helfa'n iacháu'r golfen
O'r pry yng ngheseiliau'r pren.

BRITH YR OGED

Ar ddwy spring yn ymwingo—neu getyn
'Dewyrth Guto'n nodio,
Wrth gwt og, ogo-pogo
Â phig lawn y ffagla o!

BILIDOWCAR

Ei hebrwng o lyn Ceubrysg—a wna'r haul
A'r heli'n ddiderfysg,
Un eiliad, hwlc y delysg,
Yn y môr torpido'r pysg.

BRÂN ARTHUR

Mi welaf ôl cyflafan—ar dy goes
Rhwd y gwaed yng Nghamlan;
Clywed yn dy galed gân
Ergyd rhyw hen alargan.

GWYBEDOG BRITH

Y gleidiwr a'i big ludiog—aer y berth
Acrobat asgellog,
Ar hwyr haf hwn yw'r hafog
Yn io-io'r clêr ar war clog.

BARCUD

I lawr y daeth fel awyren—a'i gwtfforch
　　Yn dorch ar dywarchen,
　　Er i'w big dyllu drwy ben
　　Gwae treisiwr a'i getrisen!

RHEGEN YR ŶD

Pe bawn i wedi nodi'r nyth—rhag y gêr
　　Ar gae gwellt brig talsyth
　　Ni lwyr giliai'r gwehelyth
　　Na'm ha' bach. Ond aeth am byth.

CRËYR GLAS

Rhith ar untroed yn oedi—ai bardd doeth
　　Y Bwrdd Dŵr wyt, Grechi?
　　Dywed, ai ti yw Dewi
　　Yn 'si lleddf' hafnos y lli?

CORNCHWIGLEN

I'w seiren mae naws eira,—i'r gwernydd
　　Rhag oerni y cilia,
　　Ond cwyd ei het a phletia
　　Sha'r mynydd ar dywydd da.

TINWEN Y GARN

O Ghana tua'r gweunydd—o wres swnd
　　Heda'r swil gynllunydd,
　　Ym mro'r ffeg mawr yw ei ffydd
　　Ym meini clawdd y mynydd.

TYLLUAN

Ei sgrech oer fel merch loerig—a'i hiasau
　　Ar ryw noson unig
　　Yn dal i gynhyrfu dig
　　Gwydion ar gwr y goedwig.

WEDI'R ANGLADD

(14 Chwefror, 1992)

Piau'r bedd ym Mhen y Garn?
Glaw Chwefror a'i gwlych heno,
A mab pymthengmlwydd 'n y gro.

Mis bach heb un eirlys oedd
Chwerw y glaw ym mreichiau'r pîn,
A mis bach rhy faith ydoedd.

Hir ddisgwyl y seren o'r gwyll
Y nos Sul uwch Treforys,
Ofer taith hofrennydd brys.

Ddoe yr hela ar fynydd,
Ddoe y ddawns, a ddoe'r gân,
A ddoe mwy yw pob dydd.

Ef ym miri pob symud,
Ef a safai i'w gyfri!
Pwy ddaw i'w le yn y rhyd?

Pwy yw'r henwr sy'n wylo
Ŵr unig, trwm ei alaeth?
Morgan y Foel, doniol, ffraeth.

A'i rhain yw hogie'r hela
Keegan a Tosh a Iestyn,
Mud eu trem uwch Genau'r Glyn.

Ei alw heddiw i chwarae;
I'w dasgau yn yr ysgol,
Galw, er gwybod ple mae.

Wyf Lywarch, hen yn ei loes
Ar y bont heb ddeheulaw,
Ar riniog brwydr einioes.

Wyf Owain, wyf Bryderi,
Ond i be? Ni wêl helgwn
Ddial y gelyn hwn.

Gwae y bwlch heddiw lle bu,
Diffoddwyd, collwyd mewn awr
Y glain o goron teulu.

LLUN O TRYSTAN
(Ger y llwyn prifet)

O luniau hynod, mae'n lun o wanwyn
Heulwen teulu a leinw'r tewlwyn,
Ifanc yw'r llanc yn y llun—mewn siaced
O hyd yn aeddfed a'i wên yn addfwyn.

YSGRIF OLAF

Ar ei fwrdd mae'i ysgrif o—a brawddeg
Fel breuddwyd yn crwydro
Ar ei hanner, a heno . . .

UNWAITH ETO . . .

Gwae'r boen o ail agor bedd—gwae rhoi mam
Ger ei mab i orwedd;
I'r ddau mae digyffwrdd hedd
Yn lloches ddofn y llechwedd.

AFONYDD CYMRU

HAFREN
Mi welaf afon Hafren
Yn gwingo fel llyngyren,
Mi glywais bod hi'n cyrraedd glan
Yn llydan fel llucheden.

ELERI
Drygionus iawn yw Leri
Yn neidio mas o'i gwely
Ar nos o haf a thorri mewn
At gampwrs ewn ei glan-hi.

TEIFI
Mae llawer pont i'w chroesi
Rhwng Gwbert a Llyn Teifi,
Ond gwell gen i y cwrwg' bach,
Mi awn yn saffach trosti!

DYFI
Pan fydd hi'n wlyb diferol
A Dyfi'n golchi'r heol
Bydd samwns braf yn whare dal
Yn stabal Abergwydol.

TAF
O'r cymoedd glo bu'n llifo
Mor ddu a chefen negro,
Ond bellach gwelir brithyll braf
O loywddwr Taf yn neidio.

ALAW
Ni chlyw ymwelwyr undydd
Y drudwy gyda'r cyfddydd
Sy'n gwmwl du, na'r wylo ddaw
O'r Alaw i'r heolydd.

DYFRDWY

Dyfrdwy yw yn Bala
A Chorwen ar ei siwrna,
Ond erbyn cyrraedd Connah's Quay
Mae'n *River Dee*, mi wranta!

CLYWEDOG

Byr yw ei thaith o'r Dyfngwm
Lle torrir ar ei bwrlwm,
A boddi yn ei dŵr ei hun
Yn ffald di-lun y Crowlwm.

TAWE

Bu'n brysur drwy'r blynydde
Yn gyrru y meline,
A deil i ganu yn y cwm
Er bod hi'n llwm sha'r gwithe.

AMAN

O'r 'Bryn' y daw prydyddion
Mae ar ei 'Glan' gerddorion,
Ymhellach lawr, cewch groesi'r 'Rhyd'
I ganol byd gwleidyddion.

LLAIS

(Un o blant Ysgol Arbennig Pendalar, 1984)

Ni wn pa ddifrawder a fu
Yn nawmis cynhyrfus y fam
I ollwng yr ystlum yn rhydd
A chawdelu'r nerfau â'i lam,
Yr hwyr a fu a'r bore a fu,
A hithau yn benyd annwyl y tŷ.

Ond gwn mai'i drugaredd Ef
A ddenodd y llinos werdd
I nythu'n ei chalon blwm
A thyneru tannau cerdd,
A theimlaf yn nodau gwefreiddiol ei llais
Gyfaredd pell yr Eden ddi-drais.

DILYNIANT O GERDDI—ARWYR

PROLOG

Cyn crogi posteri'r eilunod
ar anaglypta'r muriau,

Ystafell fy maboed oedd wag
namyn tafod unnos y gannwyll
yn ddrychiolaeth ar blastryn brau y parwydydd,
hwyrnosau ofnus yn ôl.

Hymian plên y gelyn
yn rhywle tu hwnt i'r dychymyg:
Gwrando, cwtsho,
a thagu'r fflam nerfus.

Ffynhonnau chwys
yn fwrlwm rhwng carthen a chroen.

Y gwynt yn llusgo blanced o gwmwl
oddi ar ffenestri'r nos
a gollwng llond sgeilet o sêr
yn gryndod noeth i'r llygaid.

Toc, doi'r llwydrew
i dynnu stumiau ar y gwydr
a hen ŵr rhadlon y lleuad
i bipo'n chwareus.

O, na ddoi drwy'r gwyll
drymwydd o gysgod
cewri llwyd y caeau—
gwŷr difedalau
o frwydr tymhorau
mewn lifrai brethyn.

Hen leisiau cynefin,
pam na ddowch chi heno
i erlid bwganod y nos?

Suddwch waywffyn eich dolefain
yn y parwydydd calch
pan fyddo utgyrn eich cri
yn malurio'r nos.

Deffro yn arwr plygeiniol
i farchogaeth y ferlen las
—i ryfel.

WNCWL

Ro'n nhw'n dweud fod ei ddosbarth
mor ddiwyd â gwenyn gweinidog Gosen,
Crynhôdd y paill o flodau prydferth ein llên.
A phan sugnodd yr anifail bras y crwybr yn sych
roedd y Pethe fel mêl yn y co'.

Doi atom weithiau i danio sgwrs a mygyn;
Hen deulu'n cribinio caeau cyfarwydd, gwâr y dydd.
Fel crwt cyntefig, dychwelais un hwyr o'r coed
gydag ŵy sguthan fel pechod yn fy llaw euog
a hwythau'n mydylu stori . . .

Gloywai'r llygaid-nabod-plentyn!
Nid y fandal anystywallt a welai ef yn ei nai
ond fflach bell o Wydion ifanc
ar drywydd Eryr!

Ei ddilyn ar Sadyrnau'r trowsus byr
parth â rhosydd hud a lledrith ei fro
i deyrnas y gïach, y cornicyll a'r chwibanogl
a hen reddf yn wefr i'r gwaed.
Drwy annwfn y fawnog
rhithlithrem i balasau'r tarth
a siamberi cudd breninesau'r brwyn;
fy llaw'n anwesu'r trysor cynnes,
y lliwiau llyfn yn fy llaw
wrth ddianc rhwng siglenni swrth
dan ddamnedigaeth yr erlidwyr cecrus.

Yntau fel pendefig
yn arwain cyrch
i ddiogelwch y cwrt concrid.

Ar foreau Llun llwyd
dihangwn fel iâr hesg o'i nyth
dan gysgod hebog o athro

i ymgolli yng nghyfaredd y gors.
Paham y rhythwch arnaf, wyau gwag
o glydwch eich nythod-gwlân-cotwm
pan fo adar yn canu yn y co?
Diflannodd hud y gors dan garped rhugwair.

Ac ni ddaw o'r niwl bendefig
a blygodd o barchusrwydd
i antur hogyn ar ffiniau'r ddeddf.

EINION

Plwc cynnil
a deunod plwm yn suddo'r galon.
Arch drom yn malwodi i'r pridd.

Nid am fod ceffylau bach
yn hwyl, a reid am bisyn tair
yr esgus–gollwn y bws naw, ddeugain ffair yn ôl.

Einion, y Samson swil o'r bryniau
a lusgwyd bob Llun Calangaea
i afradu nerth wrth fôn polyn y deml.
Tyrfa wladaidd fel defaid yn crynhoi
i lygadu'r ergyd allorddrylliog.
Yn y distawrwydd, teimlem y pistonau'n curo a'r goleuni'n pylu
pan grymai'r ordd dros ei gefn
ar ystum dienyddiwr.

Dwy eiliad ddianadl.
Ergyd!
Y bêl o grombil canon
yn malurio cloch yr entrychion
a'r bonllefau'n gwreichioni
ar ysgwyddau'r cawr.

Unwaith, taflodd winc ataf
a chneuen flewog y wobr bitw i'w chanlyn
cyn diflannu drwy'r stêm am niwl y bryniau
a'm gadael yn arwr balch ar gyrion Sodom.

Ciliodd, fel yr hwyl hwsmonaidd o'r ffeiriau
i ddyrnu polion ei ffiniau,
meudwy yn ogofeydd ei yswildod.
Ar ambell Sadwrn, beiciwn y cwm diarffordd
fel ysbïwr yn newynu am gip ohono.
Ei chwilio, fel chwilio Glyndŵr yr unigeddau,
arwr diflanedig awr yr angen.

Oni allai'r cyhyrog hwn
herio dyrnwyr menig y sgwar cynfas
neu ddal y pwysi olympaidd heb wyro?
Glyndŵr fy mreuddwydion . . . astalch fy myddin . . .

Eithr pigodd y cigfrain ei gnawd
bedwar machlud cyn i neb alw heibio.

Tafod dur yn y tŵr
a chlochydd cloff yn rhofio'r pridd.

EDDIE

Ddoe ddiwetha
wrth lyw y lori ludw
a'r wyneb hollti gwynt
yn dal i gynnal gwên.

Ble'r aeth y *Triumph Tiger*
na fedrai neb ond Eddie ei ddofi?
Llwyth esgyrn haearn yn rhincian rhwng cloddiau'r fro,
mydr y tanio cyson
yn curo fel acenion soned Betrarchaidd
a chlosiai'r hogie at rwndi cynnes ei galon.

Ei weld yn diberfeddu'r beic
ym mhelydr pŵl lamp stabal y cwt sinc
mor ofalus â llawfeddyg mewn theatr.

Ei ddwylo oel yn anwylo sgriw a gasged
yn dyner fel pe baent gannwyll ei lygad;
Tafoli arennau'r fflôt yn glinigol
fel pe'n disgwyl iddynt buro gwaed.
Eddie, na fedrai amgyffred cystrawen brawddeg
yn datrys dirgelion ymennydd mag
â greddf y niwrolegydd.

Arswydai'r greadigaeth
pan gornelai'r cefnffyrdd;
marchogaeth clawdd y fynwent
fel gwallgofddyn y *Wall of Death* yn y ffair.
"Fe glirith honna ryw ddydd,"
proffwydai'r gof wrth boeri ar y bedol.
Ffowlyn neu ddau a ddigynffonwyd . . .

Yn fforest y cof
mae draenen yn y bawen deiar
a rhwd gwaed yn swmp y galon.

Eddie?
Yn wên i gyd yn mynd a dod
—a heb nabod neb.

PREGETHWR

Roedd mwg bob amser o dan fargod ei gap,
ei fysedd mor felyn â brest y caneri,
eto, gwelai tu hwnt i ffiniau ceidwadol y gwybodus
gan wfftio'r saint pen-glingaled mewn modrwyau mwg.

Ym mhedwar ugain a deg ei flynyddoedd
ni bu i'r huddygl gancru ei sgyfaint
tra bod llygredd breniniaethau
fel tiwmor yn crebachu ei nerfau.

Canlynai rhai o hirbell,
am iddo gyhoeddi efengyl y Crist cymdeithasol o'r pulpud
—yno gŵr dieithr a barablai heb ffag yn ei geg!
Ond addolem ni ef
yn fwy na'r Duw creulon
a'n llociai bob Sul yn y seti caled.

A oedd Duw yn ei boenydio yntau
i draethu heb fwg?

"Gawn ni sigarét, Mr Niclas—newn ni ddim gweud, wir!"
Wrth gefn y festri
rhannodd offrwm dwy Wdbein
rhwng pedwar crwt a'r wal.

O na fedrwn gynnig stwmpyn iddo
o'r boced ddirgel rhwng emyn a gweddi!

Eithr poenai ef am y cymylau gaeafol
a gyfodai ryw ddydd
o goelcerth ynfyd dyn.

Gwnaeth y pethau bychain bachgennaidd
A bu i ninnau gadw'r ffydd.

Y TÎM

Dau gwrdd pen rhewl
Steddfod a 'bring-an'-bei',
—ganwyd ar Fanc y Darren
dîm pêl droed.

Pwy oedd y dwsin hyn
a glowniodd un hanner amser
i lygad y camera
—yn tanio ffag, rhannu jôc, a phwyso ar ysgwydd mêt?
Nid y breichiau-blethedig-dîm
a rewai am eiliad anfarwol.

Meibion fforest a fferm,
gwŷr cic a chwrs a'r taclo llithrig
na wisgwyd â sgiliau ffansi
moethus dimau llawr gwlad.

Yn yr unigeddau hyn
rhwyddach fu llocio dafad heb gi
na driblo pêl tua'r gôl.

Dacw Alun druan!
Pysgotai'r bêl o'r rhwyd
yn amlach na chodi cic gôl . . .

Tedi Bombay yn hercian o gêm i gêm
a phadell ei ben-glin wedi hen ollwng.

Dai bach crys budur
wrth ei fodd pan olchai'r glaw ei git . . .
Ei fam wedi marw ers blynyddoedd,

A Wil yr Wyau a heriai fod pob tacl
yn "Ffowl!"

Eu pwyntiau mor brin â phorfa'r parc,
Chwe gaeaf difedal
cyn colli'r bêl yn ffrwcs y banc.

Beth ddaeth ohonom ni, y plant?
Ein harwyr, a fu'n stablan fel ceffylau gwedd
bellach a choronau yn eu rhawn.
Dychwelodd y bêl o'r berth
a'r hen laid yn caglu ar ein hesgidie.

Dyna Albo. Ei dalcen eidon
yn chwalu pob ymosod.
Llawesodd grys di-dâl ei wlad.

Dyfed bach yr arwr
    yn hollti'r amddiffynfeydd
    fel cyllell drwy fenyn
    nes cyrraedd y nefol *Aston Villa* dir.

'Na nhw:
    y dalatrwydd trwsgwl
    wedi sgleinio ein medalau ni.

DICI FFYRELL

"Gall Dici Ffyrell ddal y gwynt mewn magal."
O leia roedd e'n nabod 'i lwybre;
a bu'n byw ar wynt a ffraethineb.

Symudai bob amser i wyneb y gwynt
—rhag i neb arogli ei ddod.
Rhyw gysgod llwyd o foi
a fabwysiadwyd gan y prysg a'r corsydd
a cheulannau'r afon.
Magwyd ef ar eu cardod cyfnewidiol, main.

Hwn, a grogodd lwynog wrth lidiart y plas,
oedd feibl o ddoethinebau'r gwylltir
yn fy nhywys liw nos i dryferu'r afon,
a dangos
ôl cynddaredd y bele ar risgl y dderwen.

Fy nhywys, am i mi unwaith
ymgeleddu ei ffyrell afradlon.

Rhywfodd, cerddai'r gyfraith y tu arall heibio i hwn,
ac ni fu'r proffwydi yn ei arddel chwaith—
ei wyneb fel siart-tywydd-drwg ar deledu,
aroglau hudo cŵn ar ei ddillad
a phenglogau yn chwerthin ar ffens yr ardd
yn llygaid busneslyd y pentre.

Ond o dan risgl garw
y cymeriad a dymherwyd gan aeafau
brigai'i natur mor sidanaidd â chroen whipet.

Dici boi, fi 'llyngodd y ffyrellod
pan est gyda'r afon un hwyrnos
rhag dy gorlannu yn hafan ein cysuron . . .
a llosgi'r rhwydi.

Udai'r gwynt ym maglau'r coed y noson honno.

JOHN

Anesmwyth dy lwch
yn hafan dawel ein cydwybod.
Er i lanw'r blynyddoedd
dy gario dros orwel y cof,
dychweli ar elor o gwch
yng nghawodydd Tachwedd y pabi coch.

Pam na rown ni lonydd i ti?
Ai chwilfrydedd y môr sy'n heintus
a'r marw tros ein gwlad mor felys?

Oeddet un ohonom ni . . .

Y nos honno treiddiodd y slywen arian
i ymysgaroedd dy long
                    a'u malurio'n fisgedi llosg
yn nannedd Lefiathan y môr.
Poer ei holew yn dân ar donnau
a chnawd o'n cnawd dan gawodydd gwreichion,
cyn i'r don drugarog ddiffodd fflam dy gorff
a'i gymryd i oerni ei mynwes.

Heno mae Rudiger o Fafaria
Daniela o Kronach
yn cadoedi gyda fy meibion
yng nghysur yr aelwyd,
Eu lleisiau fel llusernau gwamal
yn braidd-oleuo'r diffeithwch cytseiniol.

Ffwndrus fy llaw,
rhy ddiffeth i blygio'r waedd yn nryswch yr ymennydd.

Bysedd fy llaw
    sy'n mynnu estyn dros y môr
    at hen graith
    sy'n dal i gosi.

EPILOG

Ystafell fy meibion sydd olau heno.
Plastrwyd y mur â duwiau'r gân—
Mae hogiau'r roc yn rhwygo'r nos.

Oni welwch chi'r mellt yn tanio'r enfysau?
Oni theimlwch chi'r taranau trydan
yng ngwefr y gwifrau?
Lleisiau eilunod yn y temlau tapiog
yn erlid ysbrydion y nos.
Chwerthin plant rhwng muriau llwyd.

Pwy yw'r rhain ...
sy'n pelydru hysteria'r neuaddau pell
yn ein tŷ mewn cynnwrf a chân?
Arwyr y llofnodion slic
yn sgwario o'r sgrin
heb i neb eu cyffwrdd.

Oni welaf drwy gil y drws
y 'mene' ar y mur
ym mhalediwm yr enfysau?

Y drws yn cau ...
ac arwyr yr ugeinfed ganrif
yn rhwydo'u haddolwyr.

EMYN CYNHAEAF

O, Arglwydd y cynhaeaf,
   Braenara eto dir
Ar lymder erwau angen
   I'r had 'r ôl gaeaf hir.

Anadla Dy ddaioni
   Ym mhridd ein cynnyrch dwys,
A ffrwydred heulwen gwanwyn
   Yr egin dan y gŵys.

Yn oriau'r cynaeafu
   Bendithia'r dwylo brwd
Ag awyr las ddilygredd
   Wrth drin a chasglu'r cnwd.

Diolchwn am ddarpariaeth
   Yr ebran sydd dan do,
Ydlannau o fodlonrwydd
   A'th hydre'n sgubo'r fro.

O, maddau holl fydolrwydd
   A rhemp ein rhuthro ni
Ar ddaear oedd mor sanctaidd
   Unwaith pan luniaist hi.

Dad annwyl y tymhorau
   Rhoist gymorth yn ei bryd,
Dysg ni yn nydd digonedd
   I rannu'r bwrdd â'r byd.

B. T. HOPKINS

(1897-1981)

Nid pobun a sangodd y gors yn ei bwyll
Sy'n gadael ei ôl heb arlliw o dwyll.

Hen frenin awenog Rhos Helyg a'r drain
A ffiniau ei deyrnas yn gywyddol gain,

Yn hawlio heb ofyn mewn seiad neu ffair
Dawelwch o drydan i esgor ar air,

Rhoi genedigaeth i berlau wnâi hwn,
Rhai prin fel wyau aderyn y bwn.

Undonog ei lais, mor felys ddi-frys
Â hymian gwenyn yn llwyni'r llus.

Ar fore'r prawf, y diniwed craff
A fynnai droi nôl mewn "Lle mwy saff—"

Malwennu ymlaen ar ei dractor hen
A gŵr y ffurflenni yn cuddio gwên.

Hamdden a gorchwyl a chnoi ei gil
Uwch awen y gors a chymhlethdod yr hil.

Daeth amser i gau hen ydlan y clos
Cyn agor cladd silweiriau'r rhos:

Rhyfeddu at hast ein modernaidd sioe,
Hiraethu'n ebychlyd am gymdogaeth ddoe.

Pan glywaf fewnfudwr yn adrodd ei gerdd
Pwy ŵyr na ddaw'r gors yn winllan werdd?

Ac erys y cof o hyd am y cawr
Oedd a'i fyw a'i farw yn arafwch mawr.

TRIBANAU I ANIFEILIAID

LLWYNOG

Hen wleidydd yw y cadno
Yn newid trac o'i gwrsio,
Er dilyn trywydd hwn i'w ffau
'Rwy'n amau fydde yno.

MOCHYN DAEAR

Am fod e'n prowla'r hwyrnos
A byw mewn seler ddunos
Fe roddwyd streipen wen i Wil
Ond mae e'n swil i'w dangos.

DWRGI

Heb gwdyn gwynt ar gefen
Na'r un gôt slic ei hangen,
Mae'n cyrchu'r pysg nes meddwi'n dwll
I lawr ym Mhwll yr Onnen.

GWENCI

Da gennyf weld y wenci
Bob gaeaf rhwng yr helmi,
A phan fo'r cywion hefo'r iâr
Wel, aed i hela'r perthi!

CWNINGEN

Câi lonydd, hi a'i theulu
Gen i a phawb oddeutu
Pe cymrai gyngor gan hen lanc
I atal gwanc cenhedlu!

CHWE CHREFFTWR

MECANIC

Tri pheth sydd gas gan Ianto,
Y plŷg sy'n pallu tano,
Injan car sydd mas o diwn,
A falf tu miwn yn llaco.

SAER

Mae'n rhaid i'r sâr wrth dwlsyn
Â min fel min yr ellyn,
Ei fesuriade'n gowir
A theit i drwch y blewyn.

GOF

Fe gauodd ddrws yr efel
A chefnu ar y cawdel,
Rhoi'r gêr pedoli yn y drol,
Go teithiol yw, ar drafel.

PLYMAR

Tri pheth sydd yn llaw plymar
Ysodor, pib a sponar,
A dyna'r tacle fydd yn siwr
O ddala dŵr mewn carchar.

MASIWN

Ei gamp yw gosod walie
Yn blwm mewn adeilade,
A chadw'i ben rhag mynd yn wan
Wrth redeg lan sgyffalde.

ARADWR

Ma gofyn bod yr hwsmon
Yn cadw'i syche'n loywon,
Wrth sbio 'nôl, mynd syth ymlân,
A throi yn fân a chyson.

COLOMEN
(Wrth gofio Julian Cayo Evans)

Dywedodd mai dwy aden—de a chwith
godai'i chorff i'r wybren
yn rhydd at yr Eryr Wen,
yn ddihalog â'r ddeilen.

SALI MAGOR
(1909-1991)

Darfu mwy pob tramwyo—yr oedd ffordd
Ei ffydd yn ddi-ildio,
Hi oedd dderwen ddiwyro,
Un braff yn cysgodi bro.

HUGH T. HUGHES
(Felin Gyffin, gynt)

Gwnaeth bopeth dros 'y Pethe'—yn ŵr Duw,
Gŵr diwyd mewn pentre,
A bellach, llymach yw'r lle,
Gwae'r dalent, gwag yw'r Dole.

DYDDIAU'R WYTHNOS

Y Dydd Cyntaf

Duw luniodd y goleuni
O ddim â'i ryfedd ynni
Er mwyn cael trefn o'r cëos mawr,
A thorrodd gwawr drwy'r dellni.

Yr Ail Ddydd

A Duw a wnaeth ffurfafen
I rannu'r dŵr anniben,
A'r difrycheulyd awyr las
Yn agor ma's yn gymen.

Y Trydydd Dydd

Ceseiliodd Ef y dyfroedd
A'r sychder ddaeth rhwng moroedd,
A chyda'r hwyr roedd capiau gwyrdd
Yn toi y myrdd ynysoedd.

Y Pedwerydd Dydd

A thaniodd oleuadau
Y sêr a'r mân blanedau,
Yr haul a'r lloer uwchben y byd
I fesur hyd tymhorau.

Y Pumed Dydd

Y morfil a'r pysgodyn
O'r don a godai'n sydyn,
A thua'r dwfn yn bwrw plet
Dan siliwét aderyn.

Y Chweched Dydd

Daeth dyn yn sych ei fogail
O'r perthi, a'r anifail,
Y ddau yn ysgyrnygu dant
Wrth gerdded bant drwy'r gwyrddail.

Y Seithfed Dydd

Distawodd sŵn cymhennu
Tra'r deuoedd yn cymharu,
A Duw orffwysodd mewn mwynhad
A'r cread yn anadlu.

CREITHIAU

Blodeuwedd

Beth sy'n cynhyrfu dy sgrechain oer
I grafu distawrwydd llwyd y lloer?

A weli di gysgod yn codi o'r cafn
Gan ochel ei ystlys lle treiddiodd y llafn?

Ac onid dialedd sydd ynot mwy
Am rwygo craith yr hen, hen glwy?

Gad lonydd i'w ysbryd grwydro lle myn
Canys esmwyth yw'r dolur erbyn hyn.

Daw fflach o wawr fel Gwydion a'i hud
Gan gipio'r ddrychiolaeth drwy niwl y rhyd.

Siwan

Â'i dwylo'n ymbil gweddi
   Rhwng y gefynnau heyrn
Diddagrau oedd ei hwyneb
   Wrth rythu ar y teyrn.

Lle bu'i gwefusau, gynnau,
   Yn melys-losgi'r cnawd,
Mae rhimyn coch yr angau
   Am wddf dan lygad gwawd.

Diobaith yw cymodi
   Yn ddiplomyddol graff,
Bydd un rhwng dwy gydwybod
   Yn hongian wrth y rhaff.

Monica

Ni wn a frathrodd yr angau
  Ei hysbryd yn oerni'r stryd
A gollwng y crawn a ddiflasodd
  Y meingorff cyn pryd,
Hi â'i dychymyg yn frodwaith
  Yng ngweithred syml y cnawd
A ddrysodd yng ngwe y patrwm
  Ar ei chymhleth rawd.

Ni wn a brofodd ymgeledd
  Gan saint y mygydau glas
Pan rwygwyd y baich o'i nythle
  Heb wewyr nac ias;
A'i hepil cam wrth ei ffedog,
  Yw hi'n llusgo mynd yn hen?
A chraith y meinlafn trugarog
  Yn pylu fel gwên.

Y PARCH. ROGER JONES, TALYBONT
(1903-1982)

I Dduw yn dyst, yn ei ddinod Ostyn
Yr âi'n ei gwman i rannu'i gymun,
A chynganeddu wrth fagu'i fwgyn,
Ein hail Gynddelw a'i gi yn ei ddilyn;
Er y poen yn ŵr penwyn—bu'n ddiddan,
A bu iach ei gân a'i winc bachgennyn.

LLEISIAU

Y mae draenen ddu heno
A'i phroc hir yn cyffroi'r co,
Draenen yw a drywanwyd
Â llais o bell, 'eisiau bwyd.'

Anesmwyth wyf, a'r llwythau
Dan yr haul yn dwyn yr iau,
O newyn i newyn ânt
I ofidiau difodiant.
Plant geirwon Hebron yr hil
Y gweddill ffyrnig, eiddil,
Weiniaid y swnd, hwy a syrth
I dir neb, druain ebyrth.

O boen i boen gwinga'r bach
O'i fwyta gan bryfetach,
Baban rhad tywod Sadam,
Ei fwyta'n fyw tan ei fam,
Hon yw'r greulon gri olaf—
Y gri o lwch dagrau haf.

Rhwyga'r sgrech drwy argae'r sgrin
Ei holl wae i'r gorllewin;
Dylifa ffrwd o lefain
Yn un rhuthr o enau'r rhain.

Mewn digonedd wyf heddiw
Wrth y bwrdd, y mae'n werth byw!
Wyf dyst o gyfalaf dydd
Yn cwyno am bob cynnydd.
I'r waedd wâr, wyf fyddar, fud
I'w hadfer o'u caledfyd.

Er ein grantiau, rwy'n grintach
I roi bwyd ym mol rhai bach.

43

Y mae adlais y lleisiau
A'i egni nawr yn gwanhau,
Cri syber yw'r dyner dôn
Na wêl doddi gwleidyddion.
Haen o gur ar fron garreg
Haen o gur heb ddŵr i geg.

A draenen o drueni
A gwyd o graig, ei dagr hi,
Difraw wyf ac ni chlwyfa
Golyn hon y galon iâ.

I'w hapêl rwy'n addo punt,
Un dydd, yn gardod iddynt.
Rwy weithiau'n hir areithio
Yn frwd dros gyd-ddyn, a'r fro.
Wyf â thir, cyfrif a thŷ,
Wyf 'run sydd heb gyfrannu.

Y DYDD HWNNW

Pan loncia'r anghenfil o'i guddfan rhwng prysgwydd a deri
   I chwydu o'i enau daflegryn dieflig i'w hynt
A'n herlid fel pryfed i ddyfnder clyd y bwnceri
   I wrando'r uffernau yn rhuo fel nerthol wynt,
Yn nydd yr argyfwng, gadewch fi yn llwybr yr angau
   Heb gymell un cysgod rhag gwae y terfynol flast,
Ni fynnaf fy achub i grwydro yn lloerig mewn pangau
   Yn gripil diamcan yn lludw'r gweddillion wast.
Cyn chwythu o'r gwynt fy llwch yn llwyr i anghofrwydd
   I bedwar cyfeiriad aflunaidd y fraenar ddi-nodd,
Mi garwn i'r Crëwr am eiliad anghofio'r gwallgofrwydd
   A gogri o'm pentwr un llwchyn, pe rhyngai ei fodd,
Cans gwn fod 'na ronyn o obaith, er cymaint fy mai,
   I'r Crëwr ystyried wrth ail drefnu'r dyfroedd a'r clai.

BEDWYR
(Bedwyr Lewis Jones)
(1933-1992)

Mae hanes ar lan Menai
Yr hydre hwn ar oer drai—
Gwae Bedwyr ein gwybodaeth
Heb derfynell i'w gell gaeth;
Dryswyd pob rhaglen heno,
Geiriau'n cau ar sgrin y co'.

Mae'r nos mwy ar Ynys Môn
A thraeth ein hathro, weithion,
Heb ddistaw donnau'r awen
Na llanw echdoeau'n llên?
Direidus Fedwyr ydoedd
Eithr ei harn o Arthur oedd!

Oedd ddur, oedd gledd o eiriau
 min iaith, oedd yn mwynhau
Y wiced wleb i brocio
Rhyw hwyl â'i efrydwyr o.
Tŵr o Fôn yn Arfon oedd
A rhyd dros Gymru ydoedd.

Yn nychdod pob mân glochdar
Dôi geiriau gwyllt y gŵr gwâr.
Trawai ar lafn y trowynt,
Ni roi dâl ar wamal wynt.
Welwch chi maint bwlch y mur
Mewn byd heb gwmni Bedwyr?

Oedd gyfaill yn nydd gofid
Rhannai'n hael o rawn 'hen ŷd',
Yng nglyn pryder bu'n dderwen
Dewin iach a'i lydan wên.
Er holi heddiw'r eilwaith
Am y dewr hwn—mud yw'r iaith.

Ni all niwloedd Llaneilian
Ar glwyd oer gelu ei dân.
Tra llên, darllen a dysg
Ni enhuddir ein haddysg,
Ei farwor yw'n cyfeiriad,
Yw y glain i loywi'n gwlad.

DRINGO

O ruthr penwythnos y Mersi
    Yn ei fodur isel y daw
I olwg hen gewri Eryri
    Sy'n sgleinio yn y glaw;
Sangu ar deml y duwiau,
    Â phecyn o ddrudfawr gêr,
Heno mewn canopi melyn
    Fe gwsg dan gryndod y sêr.

Troi i gyfeiriad y clogwyn,
    Dros lymder y llechwedd ar heic
Fel petai y creigiau gerwin
    Yn dalpiau o aur Klondyke;
Yn nyfnder prynhawn fe'i gwelir
    Fel corryn ar y brig,
Ei fysedd ar hirwe neilon,
    Dan gilwg y duwiau dig.

Eistedd ar gopa'r gribell
    A chrafu'r eira o'i draed,
Y frwydr â'r cewri drosodd
    Ac yntau heb golli gwaed;
Yfory, ar lawr y ffatri,
    Lle mae'i enw yn ddim ond stamp,
'Does undyn a dâl wrogaeth
    I orfoledd brenin y gamp.

1984

Wyt yma'n llercian yng nghilfachau'r gorwel
Yn gysgod anweledig o Frawd Mawr
Rôl ffoi o ymenyddfa'r proffwyd Orwel
A'th chwyldroadau'n chwilio am y wawr,
Neu megis cog yn hawlio'n nythod gori
A wyau ein gobeithion yn troi'n glwc
Wrth anesmwytho ar y pren sy'n torri
Oddi ar y gwreiddyn hen, a chwythu'i blwc.
Er iti nodi'r dyddiau a'u calendro
Yr un a fydd ein hynt wrth fwrw'r draul—
Cysgodi rhag y glaw fel defaid pendro
Neu godi wyneb i seboni'r haul,
Dy fyth a'th holl ddarogan yn pellhau,
Ninnau wrth fwrdd yr Ŵyl yn cracio'r cnau.

CARCHAR

Mae yn nwfn y galon lonydd
Chwerwder y gerdd a garcharwyd ar gam;
Hi, unwaith, fu'n ein cynnal—
Un felys, nwyfus ei naws,
Yn breliwd ein boreau heulwen.
Rhyngom llithrai'i hangerdd
Yn is ac is i gell oer
A gwefr ein melodi'n gaeth
Heb felyster yn diferu
I ni o'i harmoni mwy.

Yn dyner yn ei chadwyni
Wyla'r gerdd yng nghiliau'r gwyll;
Masiynwyd ei hemosiynau
I galed furiau'r galon.
Hi yw pridwerth ein paradwys,
Adlais ei nodau o loes Eden.
Ni allwn ei gollwng
Ar barôl i'r golau,
A ni'n dau o hyd yn dianc
Wedi dryllio mowld yr allwedd.

YSGARIAD

Bu heulwen ar hwylbrennau—âi y llong
  Yn llyfn heb angorau.
  Rhwygodd ei bow ar greigiau
  un dydd, ac ynysu dau.

TAWELWCH

A mi unwaith mewn cwm unig—a'r gwynt
  ar gyntun rhwng tewfrig
  y daeth i amheuwr dig
  eiliadau'r Anweledig.

GWEDDI CYN CYSGU

O aros a hi'n nosi—heno, Dad,
  Dan do ein cartefi,
  Hunwn tu ôl i'r llenni
  A'n gofal yn d'ofal Di.

BRITHYLL

Un dydd dwys, afradodd Duw—liw'r bwa
  hyd lawr baw y dilyw;
  Lliw hudfawr ar drowt lledfyw
  A'i droi bant yn belydr byw.

Y MELINYDD

Ei bwn ysgwyddai beunydd—o wenith
  Grynnau trwm y meysydd,
  Yn y dwst a'r blawd drwy'r dydd
  yn wynnach na phlu'r gweunydd.

JOHNNY OWEN
(1956-1980)

Codi dan rym cawodau—ac eilwaith
i galed ddyrnodau.
Derwen y cwm â dwrn cau
Yn y ring hyd yr angau.

MORTHWYL

Ynof mae ofn yr 'unwaith'—a chynnwrf
Ochenaid yw'r 'dwywaith',
Ond mi wn am chwithdod maith
Wedi ergyd y 'deirgwaith'.

AWDURON

LLYFR GENESIS

Co' henfardd bore'r cynfyd—yn magu
    Dychmygion celfyddyd.
Rhoi o'r baw 'nechrau bywyd
Ystori wâr berta'r byd.

T. GWYNN JONES

Gwynned ei gnwd o ganiadau,—yn ir
    Tra erys ydlannau
O Wernyfed, a chedau
Yn bŵer iaith i barhau.

ENID BLYTON

Hwyliais o wely dolur—yn ei chwch
    Ar iechyd ei hantur
I haf rhyw ynys ddifyr
Ar fap Seiberia o fur.

GWENLYN PARRY

Bywyd ffair a byd y ffin—ias y ffôn
    Yng nghors ffydd, a chwerthin—
Deuent dan hudlath dewin
O lwyd sgript yn olud sgrin.

LLANNERCHCLWYDAU

Y glaw a'm hebryngodd ar hap
un nos Sul y farchnad
i dawelwch tegan o eglwys
a gornelwyd ar silff lychlyd
ym mhen draw cwm y gwaith.

Gwerthyd y cyhyrau
wedi blino rhedeg
ar feltiau'r galon
      am y dydd.

Pan graciodd
adain awyren o heulwen hwyr
ei sydynrwydd drwy'r cwmwl,
llifodd y lliw esmwyth mewn goleuni
drwy gwarel fioled y ffenestr
gan fywiogi'r llwch rhwng cangell a chôr.

Dawnsiai'r dwst yn ronynnau meddw
megis ydlan ar ddiwrnod dyrnu,
y llif goleuni fel beltiau tracsiwn
yn mynd a dod o grombil
rhyw egni pell.

Yn nistawrwydd yr encil
llonyddodd y seithfed dydd
megis yng ngenesis, cyn i'r Crëwr
ddiflannu o olwg llygad yr ewach.

Ym mhelydryn olaf yr enfys
gwelais ddeigryn o lygad anwel
yn mwydo'r gronynnau llwch
dros grystyn llosg o ddaear.

Y Crëwr amyneddgar
yn ailraglennu Ei hen gynllun
mor wylaidd â'r gwanwyn
yn troi heibio'r gaeaf.

SEFYDLU YSGOL GYMRAEG

Ein derwen o gadeirydd!
Ir a dewr, pŵer y dydd,
Rhuddin ein pwyllgor addysg
A nawdd i dwf gwreiddiau dysg,
'E ddeuwn ar Ŵyl Ddewi
Yn daer am dy gymorth di.

Rhyw had brith 'eryda bro,
Rhaid ei wared a'i herio!
Dyro i ni ar dir neb,
Ni y dwsin â deiseb,
Dy arweiniad ar unwaith
A'r nos ar lwybrau ein hiaith.

Diraenodd y dwyreinwynt
Y gaer a fu'n ysgol gynt.
Clywi iaith yr ysgol hon
Yn aceniaith Manceinion.
Pa les hyfforddi eu plant
A hwy'n ddall i ddiwylliant?

Ofer cau y muriau mwy—
O'u mewn ym Môn a Mynwy
Heddiw fe gawn ein boddi,
Onid mud, cryglyd yw cri
Adar Dewi ar dywod
Yn y baw, mwy ond yn bod.

Hon yw gwaedd leddf y gweddill
A galwad sad ym mhob sill
Am i'th Gyngor angori
Y fro rhag llithro 'da'r lli.
Ym mawrlif y mewnlifiad
Pwy a rif ddyddiau'n parhad?

Yng nghefn gwlad bu toriadau
Y llaw harn yn ein lleihau,
Faint o wŷr a saif o'n tu
Sy'n fodlon ar sefydlu
Ysgol ddydd newydd i ni
Yn llanast Llannerchllwyni?

Mae yma Gapel Elim
Heddiw â'i werth bron yn ddim.
Un hawdd ei fandaleiddio,
Un braf o'i droi'n ysgol bro.
Ceisiwch, wŷr doeth, bwrcasu
Y tŷ cau mewn dyddiau du.

Mor anodd cymell noddwyr—
Brwdfrydig, ddysgedig wŷr—
O fasnach ac o fusnes
I rannu llog er ein lles.
Ai bwydo bois byd y bêl
Yn unig yw ei hannel?

Rhaid wrth drefn, rhaid dodrefnu
A rhoi tân i gynhesu'r tŷ.
Ni a rown hael gyfraniad—
Hynny a rown er parhad
Y Gymraeg ym mro yr hil;
Rhown nodded i rawn eiddil.

Dewch â haul, codwch eilwaith
Y niwl rhemp sy'n pylu'r iaith.
Yn rymus bo'r tir yma
A chnydau aur i'ch enw da.
Yn rhwydd bo'r llwybrau iddi—
Y gaer wen—ein Hathen ni.

Y LLANW YM MRIG Y MORWYDD

Mae hiraeth ym mrig y morwydd
Heno am gyffro'r gwynt:
Nid oes yn siffrwd y dail
Si y glaw yn eu sigl hwy.

Ein tir megis 'crastir crin'
Heb egin yn bywiogi
Yn nwfr 'cawodydd hyfryd'.

Y genedl heb ddail gwanwyn
I'w iacháu o'r nychu hir,
A chenedl na fyn gael ei chynnal
 nodd ir pren a wyrodd i'r pridd.

Llonydd yw'r berth, mae'r 'gwynt nerthol'
O dir ymhell yn rhodio'r môr.
Yr haul a orweliodd i'r heli
A lle'r brwyn yw allorau bro—
Trist, trist yw distyll y trai.

Y GŴR SYDD YN Y GARREG

Yng Nghasllwchwr mae gŵr yn y garreg
A'i drem ar echdoe'r hwyl—
A rhyw felys orfoledd
Yn llewych unig llech o wyneb.

Llawen ei enaid a'r llanw unwaith
Drwy ei weddi'n ymdreiddio
Yn don i galon hen golier,
A nerth cyfrin ei air
Yn brigo yn ei bregeth
Fel o ddyfnderoedd y moroedd maith.

Hudoliaeth ei dawelwch
Yn rhoi tân uwch y tonnau
Yn fflêr i'r colledig, a fflam
I'w achub a rhwyfo yng nghylch ei brofiad.

Yn '04 angorwyd ffydd
Y rhwyfwyr yn yr hafan
Yn glwm wrth 'etholedig lestr'.

Efe, y tyst o'r nawfed ton
Â llaw hyder y llywiodd:
Ni ddychwelodd i chwilio
Hynt oer y môr yn y trai mud.
Bu'r niwl dros yr aber yn hir.

Y DUW AR DEIARS

Mae'r ha' wrth ddôr Moriah
A neb yn adnabod
Wyneb y gofeb yn y gwellt:
Nid yw y maen onid marc
Hen ffordd pererindod ein ffydd.

Gwŷr cerbydaidd gerrynt
Â heibio yn y llif anniben
A ffanffer hwteri
Yn rhybudd o'r ffair wibiog.

Onid yw'r duw ar deiars
A'r saint yn olwyno'r Sul?
Heidiau o resi di-dor
Yn gwau tua Phenrhyn Gŵyr.

Yng nghysegr y Tŷ darfu'r dôn
A chynnwrf ei chyni:
Oer yw'r dŵr lle bu stŵr ar starn
Y llestr-achub y llesg,

A hil y rhai gynhaliwyd
Yw rhydd addolwyr yr haul:
Y môr yw eu hallor hwy.

JULIE

Fel y blaidd a'i afael blwng
Ni wêl neb ei ddod liw nos—
Y llanw cythryblus, llam
Yn donnau dros enaid unig.

Trwm yw llysnafedd y trai
I'r ieuanc sy'n dianc am y don,
A rhwydau'r môr, o grwydro ymhell,
Yn eu dal yn y dwfn.

Pwy yw hon . . ? Ni ddaw neb heno
I'w gollwng o'i hargyfwng gwyllt
A hi'n hualau heroin yn wylo,
Wylo am dawelwch
Wrth enau porth Annwfn.

Ar farian oer yfory
A'i dwylo glaswyrdd fel y delysg . . .
Yn ei hochain, pwy a'i hachub
O nwyf y teid a'r nawfed ton?

HEROD A CHAIN

Dros draeth ein hamser mae nos ddiseren,
A hil y bwystfil o hyd ar y bae,
Yn golchi i'r lan a llercian drwy'r llaid
A'i natur o geulan cantre'r gwaelod.

A daw hwn eilwaith i chwerwi dynoliaeth
I chwalu anheddau a'i balfau baw,
I daenu gwâl, a chwyd yn ei galon
Ryw ddiawl o hiraeth am arddel Herod.

Ac yn ei erfyn mae grym i gynhyrfu
Y trais yn y trên
    Y sgrech ar y sgrîn,
Iwerddon y bom sy'n rhydd yn y bag
A'r plant a gyfyd mewn bywyd Ramboaidd.

Ar draeth ein hamser mae Cain a Herod
Yn codi allorau i'r duwiau dig,
A rhythu yn waetrudd a llonydd wna'r lloer
A'r gelain arall ar ei gwâl yn oeri.

TYRD, AWEL ...

Gwelaf y 'cwmwl golau'
Ar orwel yr awelon
Ymhell uwch 'crystal y môr'

Doed y goleuni hyd y glannau
A'r llif yn cynhesu'r llanw,
Ei don ewynnog yn diwenwyno
Traeth 'amhuredd' y 'llygredd' a'r 'llaid'.

A'r Gŵr a alltudiwyd i'r gorwel
Yn dychwel yn yr awel rywiog.

CARWYN JAMES
(1929-1983)

Mae'r dail tiwlip yn llipa
Heb liw mewn gaeafol bla
A'r genhinen las heno
Yn friw ym mherllannau'r fro

A noeth yw Parc Cefneithin
Yn wag fel costrel heb win
A'i dalent yn y dulawr
Llonydd dan y Mynydd Mawr.

Y mae'r bwlch yng Nghymru'r bêl
Yn rhewi yn yr awel,
Gwae'r maes heb sgôr y maswr
Heb lein gais, heb lun y gŵr.

A thristáu wna llwybrau llên,
I'w glyw ni ddaw sigl awen
Arwyr o Rydcymere
A'r Allt Wen o dir y De.

Eilun o foi! Ail ni fu
I Garwyn yn gwiweru
Lawr y maes rhwng gwylwyr mud,
A hwy'n wyrgam ei hergyd!

Hyfforddwr praff o urddas,
Un dewr oedd ffyddlon i'w dras,
A oes troed ar faes Strade
Nad yw yn ei ddyled e?

Ef, y glew ym mysg Llewod,
A'i ddawn wych i gyrraedd nod,
Yn deyrn ar y Crysau Du
Arnynt heb unwaith chwyrnu,

A'u dal yn Nyfed eilwaith,
Y "naw-tri" oedd twr ei waith.

Yr hen *Sosban* a ganai
Oriau hir drwy'r tir a'r tai,
Ei hencôr i sgôr y sgwad
Ias gorlif i'r crys sgarlad!

Ba lewyrch oedd heb 'Player'?
Ei mwg fu braint saint a sêr!
Cymen ei farn mewn cwmwl—
Tip i wŷr o Bont-y-pŵl
Neu selog gewri Seilo
 thant ei genhedlaeth o.

Yn ddoctor gwych ei ddacteg,
Un tyn am y chwarae teg,
Hyder taith, derw tîm,
Didwyll edmygydd deudim.

Onid tlawd yw'n teledu?
Ei ddiragfarn farn a fu
Uwch cleber sych y clybiau
A gwaedd y proffwydi gau.

Ni welai ef haul y wawr
Wr unig ar rŵn Ionawr,
'N Amsterdam darfu'r tramwy—
I senedd maes ni ddaw mwy.

Dewin diwyd yn dawel
Ymhell o hud byd y bêl.
Hir ei barch, a phedwar ban
Yn cofio'r Cymro cyfan.

ADLEISIAU

1.

Pan glywaf y gân ym mhen draw'r cwm
Mae tristwch yn disgyn i'r galon fel plwm,

Rhyw adlais adleisiau'r ceiliogod gynt
A gadwynodd gân drwy'r oesau'n y gwynt,

Yng nghwmpas ei lef mae goslef o'r gân
A ffrwydrodd ddwywaith yn yr oriau mân

Un bore o hanes o'r cwb ger y llys
Lle bu'r forwyn herfeiddiol yn pwyntio'i bys;

Hiraethaf am wefr o'r euogrwydd mawr
Pan fo'r ceiliog yn gollwng ei gân i'r wawr.

2.

Pan ddrylliwyd y cnawd, dirdynnol fu'r gri
Ar nawn y Groglith, tri deg tri;

Ar fyrddau'r canrifoedd bu'r cnawd yn briwsioni
O swper i swper, heb ein digoni,

A chlywir o hyd ar doriad y bara
Adlais pell o'r poenydio ara'.

Ond gwn lle bo dau neu dri wedi cwrdd
Bod gweddill o friwsion yn disgyn o'r bwrdd.

GUTO FFOWC

Bu'n rhaid dy losgi eleni eto
gydag ysbryd yr hen wrachod Celtaidd
ar goelcerthi o sbwriel yr ugeinfed ganrif.
Dy goffáu â chwistrellau o wreichion cymysgliw
yn troelli ar gefn y nos;
rhocedi'n chwislan fel 'sgubellau ynfyd
drwy'r tywyllwch.
Rhaid . . . ac mor wahanol y dynged
pe bai'r perfeddyn cwta o ffiws
wedi dirwyn i gasgenni boliog y pylor.

Mewn eiliadau drud o hanes
fe'th hyrddiwyd i anfarwoldeb
heb danio dim.

Beth petai'r danchwa
wedi dymchwel colofnau'r Brotestaniaeth
yn llwch o dan sancteiddrwydd y traed Catholig?

Heno, gwelem o Geri i Donegal
oleuni'r tanau gwyllt
a'u llewych yn halo o lawenydd dros y bryniau,
bangers, cracerjacs yn brawychu'r cŵn a'r cathod
a lliwiau llosg yn toddi i'r nos ddiniwed
heb fflach oren o fwled
yn sgrialu'n deilchion ar y palmant,

yn suddo'n ffyrnig i'r cnawd.

Ond nid felly y bu.

Am hynny, ysgwyddwn ein cotiau
yn barchus dynn
a gwyniasu rhag teimlo
rhyw un wreichionen fach
o dân Pantycelyn a Llangeitho
        yn ein hanesmwytho.

JOHN PENRY
(John Penry Jones, Y Foel, Powys)

Aeth o'n plith athrylith hen
Hen lanc ieuanc ei awen.
O'i dir hoff a'i hud yr aeth—
Y Foel oedd ei ofalaeth.

Darfu'r chwerthin diflino,
Ffafr a hwyl seraff y fro!
Oedd law hael, yn eiddil ŵr,
Dewin gair a dyngarwr.

Ef wrth law a'i forthwyl harn,
Ergydiai dros fro gadarn,
Gŵr amhrydlon ond gonest
Yn hwylio'i waith ar y lest!

Uwch afonydd llonydd llên
Oedai yn nŵr ei Eden,
Myfyrgar megis garan
Yn chwilio am gyffro'r gân.

Crynhoi'i boen crin i bennill—
Hanes o wae ym mhob sill;
Yn ei Bethe gobeithiai,
Yn awel Mawrth o'ent ddail Mai.

Yn loyw ei grefft, y gwelw grydd,
Y glain a'r glew awenydd
Ar y ffin oer ffoniai hynt
Creisis a berw'r croeswynt.

Ni rannai'r un gyfrinach
Â'r byd, na storïau bach
Gwerin ei bost brenhinol,
Na rhoi ffydd ar gleber ffôl.

Rhoed arch ein Llywarch i'r llwch
A'i allu i'r tywyllwch.
Deil angerdd ei gerdd ar go
A'i rhin mor ddiwair heno.

WRTH EGLWYS PILLETH
(*Bryn-glas, Maesyfed*)

Ym mlaenau gwlad Maelienydd
Mae hen ffald i glymu'n Ffydd,
Eglwys i Fair rhwng gweiriau
Anghysbell gangell heb gau.
Diwair dyst y mynd a'r dod
Ym merw'r ffin, mawr ei phennod.

Yn ei hunfan mae'r henfam
A'i chred maith a'i chariad mam,
Yn drist ei hynafol drem
Ar wâl fel hanner helem.
Deil i hidlo o'i hydlan
Hen rawn yr hil ar ein rhan.

Gwelwn dyst i fflam Glyn-dŵr
Cyn y cweir i'r concwerwr:
"Glain y Glyn" a'i gelanedd
Ym Mryn Glas a'r mirain gledd,
Lle bu cigfrain ar leiniau
Ger y waun yn rhwygo'r iau.

Ôl cledd ni welir heddiw—
Y mae'r fro yn falm ar friw;
Daear hau ein brwydyr yw
I adfer hyder ydyw.
Er ei ffawd hi ddyry ffydd
Mileniwm ym Maelienydd.

NEW ROW

Lle dyry ffordd y mynydd
Dro pedol sydyn iawn
Fe hoeliwyd pentref unstryd
Â'i draed ar dir y mawn.

Tai llwydwedd gwŷr y gweithie
Godwyd heb fwrw'r draul,
Rhy gul oedd eu ffenestri
I'r eciwmenaidd haul.

Mor dwt â chychod gwenyn
Swatient ar fin y gors
Cyn taflu'r lantar-gannwyll
A chyn dyfeisio tors.

Pan ddarfu ffrwd egnïon
Gwythïen blwm y gwaith
Rhythai socedi clwyfus
Mewn gwae o'r muriau llaith.

Er cuddio rhag fandaliaeth
Dwrn y dwyreinwynt main,
Ar estyll eu ffenestri
Sgriblwyd graffiti'r drain.

Pwy yw y rhain sy'n chwennych
Sgerbydau godre'r bryn
Cyn porthi blys y gwerthwyr
Yn swyddfa'r sieciau syn?

Tu ôl i'r môr o wydrau
Sy'n gloywi wyneb stryd,
Mae tystion y datguddiad
Rhwng muriau powld eu byd.

LLYNNOEDD

Llygaid difynegiant yn rhythu
o socedi'r fawnog
wedi delwi yn hafn yr iâ
ers canrifoedd y meirioli mawr.

'Roedd eu hofn arnaf
wrth faglu dros y boncyn yn llaw'r bugail.
Daliwn f'anadl fel un a lusgid
yn ddychmygus araf i'w dyfnder oer.
Ofn, megis canfod corryn heglog
mewn llestr o dan slab y llaethdy,
neu daniad sydyn y tractor un-aren.

Ni welir gwylan benddu'n corco'n undonog
ar wyneb tywyll Llyn Tyncefen,
na Mynyddgorddu yn edmygu ei fynwes flewog
fin hwyr yn y drych brycheulyd.

Ar ambell ddydd o haf, oeda niwl barugog
fel carthen Gymreig ar lannau Llyn y March Mawr
gan welwi'r lili wyllt sy'n cropian at y dŵr
megis firws diclein.

'Roedd tenantiaid mwstasog o dan geulan Rhyd y Caib
—llyngyren o nant yn igian ei ffordd
yn anfodlon i Lyn Syfydrin.
'Dyw'r dyrgwns ddim yn gollwng gafel
nes torri'r asgwrn,' mynte gwas y Foel.
Traflyncais ei ddatganiad proffesiynol.
Gwthiodd y crawcwellt a'r pîn powld
eu tiriogaeth asid i fin y dyfroedd
a difa'r llwybrau cam a naid
cyn i wanwyni doldiroedd barfog
fy hudo i'w lluestai.

Tri llyn fel tair drychiolaeth
Yn wincio ar y lloer
Cyn cysgu'n swrth yng nghil y cof
Ac weithiau'n hunllef oer.

Gweryrad gwallgof ym mherfeddion nos
o benglog march sy'n dyrchafu o'r llyn,
ei ddannedd gwyn yn disgyn megis cesair
gan bryfocio cynddaredd y dŵr,
a'r dorlan wahanglwyfus
yn gollwng yn llofr o dan fy nhraed.

Pwy yw hwn ... fel Bedwyr yn y gwyll
yn lluchio'i arfau i ddyfnderoedd Llyn Syfydrin?
Mae'r lloer afradus
yn bradychu llun yr Eryr Wen
ar stoc y fagnel.
Pa le mae'r llaw o'r llyn i'w dal?
Y mae'r dwrgi'n tuthio'n gyndyn wrth fy sawdl ...

Gweld eto'r ladi wen ger Llyn Tyncefen
yn gosgeiddig symud dros yr wyneb gwydr.
Ei rhith o law drwy niwloedd y dychymyg
yn cymell i'w chanlyn
dros rinc y rhew sy'n cracio'n slei.
Hithau'n diflannu yn y cylchoedd rhedyn
ar fryn y meini hirion,
gan adael i'r dylluan ddarnio'i swper
ar bolyn clawdd yr unigeddau.

Megis y tasgodd hebog y dŵr
o'i gynefin yn asennau'r dalgrib
a'i fflach brin am frithyll esgeulus,
diflannodd yr hunllefau, o un i un,
a chwsg, fel wyneb llyfn ar nawnddydd haf
heb drwyn pysgodyn yn cylltyru'r dŵr
oedd dawelwch diochenaid.

★   ★   ★

'Dad! Gloi! Dyco lyn glas!'
Cyflythrennu'r crwt yn fy neffro
ar draciau Kawasaki y fforest.
'Roedd dŵr y trillyn wedi hen sychu
yng nghronfeydd y co',
a chuddliw hafau canol oed
yn gorchuddio'r llysnafedd.

Fel barcud o orwel difodiant
dychwelodd atgof i'r cynefin hwn
ar aden llawenydd y crwt
i dderbyn croeso'r llyn dŵr meddal
a chwiban llesg y pibrwyn
rhwng ceulannau gwarcheidiol y dyfroedd.

Prin fu'r brithyllod yn Llyn Tyncefen.
Gludiodd llysnafedd yr wyau wrth droed hwyaden wyllt
rywle yn neorfeydd y bryniau, a'u cludo yma,
lle bu'r sgweiar hirgoes o grychydd
yn tolli'r cwota,
a chwydai siafft diwydiant doe
lygredd ei stumog
i dransh y llyn wedi noson feddw'r storm.

Â gêr amrwd, didrwydded
beiciai'r crwt ar Sadyrnau i fin y dŵr
i luchio lein gyda'r gwynt
ar drywydd y gweddill cyfrwys,
ar fenter greddf a lwc.

'Gwnawn ddwrgi,' meddai un hwyr hesb.
Eithr listiodd yr octopws aml-fachog i'r lan,
fel chwadan Bil Parry gynt!

Iâr fach y hesg
yn nofio'n fusneslyd
rhwng y wrec ac annel reiffl
yr herwheliwr bach, rhwystredig,
gan osgoi'n chwareus
beledi a dasgai i'r gwynt!

Ar nawn y clêr
uwch llwyfan hwyrgoch Llyn y March Mawr
holai am hynt y llyn llosg.

Unwaith, meddwn, is trum Pumlumon
o dir y mawn crwydrai march
ara'i gam o dan gyfrwy gwag,
seren ei dalcen du
a arweiniai gynt gyrch y gad
ac yn ei faes, efe oedd
Draig y Mab Darogan!

Hen fugail a'i gwyliai ef
yn nesu'n llesg at y llyn,
yn ei rym gollyngodd i'r graig
hyrddiad cadarn ei garne,
rhoes un gweryrad, oersain o hiraeth,
am Owain drwy'r lem awel
a'r llam ola i'r llyn.

Y stori a lynodd o gylch y tân
ar aelwydydd Mynydd y March.

Yr hwyr hwnnw
gwelais eni'r wreichionen
am eiliad yn llygad y llanc.

Ni wyddai neb am y gwn cudd
a lechai yng nghwt y fen
wrth sgathru'r grafel i gyrion Llyn Syfydrin,
ac mai esgus oedd papurau astudio'r sbagnwm
a thrychfilod y dŵr
yn ffôlio ei addysg,

Roedd 'miwsig clên' yr helgwn
ac ergydion y fyddin gôt oel
ar ffiniau'r pîn
yn cyffroi adleisiau

yng Ngenesis y cof
a phellteroedd rhamant y goedwig
yn ei hudo o blentyndod y llynnoedd,
a 'ngadael fel dyn tacsi ysbeidiol
ar lan mudandod y dŵr
yn gwylio'r siwrneiau'n darfod . . .

★　★　★

Bore o alar
pan oedd heulwen Chwefror
yn poenydio cymylau ei arwyl,
codais tua'r mynydd
megis aderyn a hyrddiwyd o'i gynefin
gan angeuwynt digyngor,
yn dychwelyd i lanastr y nyth
ar bren ysig.

Ai Llywarch oeddwn
ar bererindod tua'r Rhyd?
Eithr hŷn, hŷn na'r henwr gynt
yw'r egni a gwyd y sawl a drywanwyd
o gors hiraeth, i herio'r anwybod.

Tri llyn llygadog llwyd
a'u bywyn yn grych o donnau
nad ŷnt heddiw'n cyrraedd glan.

Chwipio pluen liwgar o atgof
yn dyner i bellafoedd y dŵr
a'i dirwyn yn gystuddiol araf yn ôl;
weithiau'n gwingo gan ddireidi
mewn sblas o chwerthin
a graciai cri'r gylfinir
uwch unigrwydd y gors.
Pluen ddoe,
ar goll yn nagrau'r niwl
ar lyn sy'n gefnfor o hiraeth.
Plwc sydyn, a'i dychwelyd

yn drwch o dristwch i freuder glan.
Pa les ei hanwylo
Pan fo pigyn cudd yn ddiollwng ei fach
yn nhynerwch y galon?

Cetrisen welw-wag
yn nyfrbwll meddal y mawn.
Ai ohoni y daeth ei ergyd olaf
cyn i'r firws difaol
a fu'n bore-hongian yn yr awel
grafangu fel cudyll?

Ai yma y diosgwn ein hesgidiau
a chrib y mynydd ar deledu'r dŵr
o grych i grych yn agosáu?
Y meini hir fel pe'n llefaru eu cyfrinachau o siamberi'r niwl.
Mae'r mynydd yn byrlymu ei ddirgelwch
o dan y berth sy'n mygu'n yr haul.
Does dim osgoi y pelydryn laser
sy'n hollti grym cyntefig y bryniau
i oleuo nosau'r galon.

Ai hyd yma y dychwelwn
ni,—hil o helwyr Pumlumon,
pan ddaw'r awr i'r enaid groesi
ar uwchdonfedd gyfrin
i ddiogelwch anghyffwrdd y mynydd,

i gysgod yr Anweledig?

Torrodd ergyd ar hedd y dŵr
i alargan y cŵn yn y coed . . .

> Tri llyn yn llawn dirgelwch
> Yn cronni yn y co',
> A'r haul yn gwrido'r darlun
> Yn fframau'r hwyr, dros dro.

GOBEITHION

Fe ddeuwch weithiau gyda llafn y wawr
I dorri ar unigedd nos y galon
Gan agor fel pelydrau hyd y llawr
A dawnsio ar ysgwyddau crwm gofalon,
O fflach i fflach dros gadair wag a bwrdd
Yn canfod lludded yn nwy lygad pryder,
Arogli'r hiraeth yn y dillad cwrdd
A'r dwylo gweddi sydd yn erfyn hyder.
Ennyd o syllu ar ddireidi iach
Yr wyneb yn y llun ar dderw'r gegin
Bob bore'n dilyn antur haul Cwm Bach
A'r wên a ddygwyd cyn aeddfedu'r egin,
Na phylwch, canys tywyll yw y daith,
Er rhannu'r chwerthin, nid yw'n chwerthin chwaith.

Na losged heno ddwyster eich goleuni
Cyn delo'r nos i ddiffodd sgrin y dydd
A'r drychiolaethau'n sganio drwy y meini
A'm gadael ar gorneli sydyn ffydd.
Na foed i heulwen eich cyfrinach ddarfod
A'm hysbryd yn diflannu lawr y draen,
Na cholli grym eich egni wrth gyfarfod
Â chorff o amser sydd yn plygu 'mlaen.
Ond eto gwn mai dychwel wnewch o'r newydd
Yn wreichion o'r perffeithiaf olau pur
Dasgodd yn wâr o lechwedd yr Olewydd
I gynnal cariad holl eneidiau'r cur,
Rhyw 'sbeidiol herc yn nhro yr olwyn fawr
A gawn, cyn ailgylchynu'n llif Ei wawr.

MAM
(gan Osian M. Jones)

Mae chwe llythyren heno—yn y maen
    Enw mud wedi'i serio,
    Enw er hyn sydd yn gryno
    'Lond tŷ yn canu'n y co.